Voor het knorrige biggetje van Dorien en Jurgen
(Karla)

Voor mijn tafelgenoten Karen en Riet
(Lotte)

Van Karla Stoefs verscheen bij Davidsfonds/Infodok:
Stekelzot van je (prentenboek, met illustraties van Rosemarie De Vos)

Meer over Karla Stoefs op www.karlastoefs.be

Karla Stoefs en Lotte Leyssens
Jij bent om op te eten!

© 2010, Karla Stoefs, Lotte Leyssens en Davidsfonds Uitgeverij nv
Blijde Inkomststraat 79, 3000 Leuven
www.davidsfondsuitgeverij.be
Vormgeving: Sin Aerts

D/2010/2952/03
ISBN 978-90-5908-338-7
NUR: 273
Trefwoorden: liefde, identiteit, vegetarisch

Jij bent om op te eten!

Karla Stoefs

Met illustraties van
Lotte Leyssens

Davidsfonds/Infodok

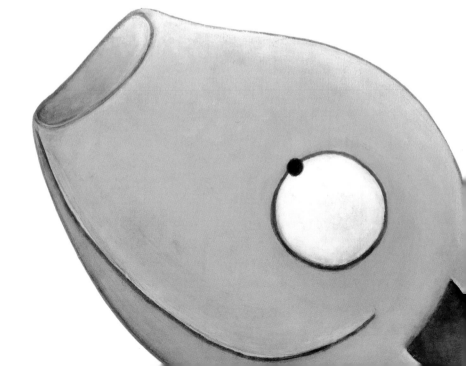

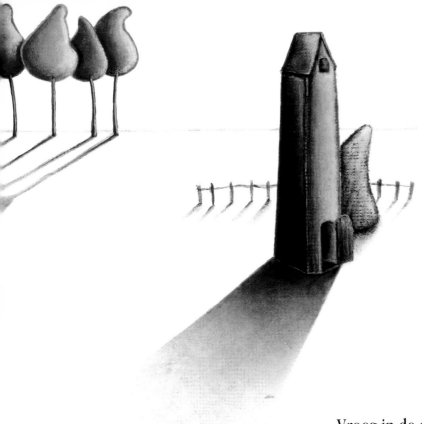

Vroeg in de ochtend duwt Big de staldeur open.
Hij gaat de wijde wereld in.
Big is nog klein, maar hij heeft grote vragen.

'Mèèè', blaat Schaap.
'Oink', knort Big. 'Mag ik je wat vragen?'
'Tuurlijk. Vraag maar op.'
'Vind je me knap?'
'Die fraaie krul in jouw staart vind ik schattig, maar…'
'Maar?'
'Ik zag je liever wat wolliger.'

'Poink', springt Kikker.
'Oink', knort Big. 'Mag ik je wat vragen?'
'Tuurlijk. Vraag maar op.'
'Vind je me schattig?'
'Jouw vrolijke geoink vind ik knorrig, maar...'
'Maar?'
'Ik spring alleen voor groen.'

'Boe', loeit Koe.
'Oink', knort Big. 'Mag ik je wat vragen?'
'Tuurlijk. Vraag maar op.'
'Vind je me knorrig?'
'Jouw roze wangetjes vind ik snoezig, maar…'
'Maar?'
'Hoe lang is jouw tong?'

'Bzzzz', zoemt Vlieg.
'Oink', knort Big. 'Mag ik je wat vragen?'
'Tuurlijk. Vraag maar op.'
'Vind je me snoezig?'
'Dat stinkie geurtje van jou maakt
me wild, maar...'
'Maar?'
'Waar zijn jouw vleugels?'

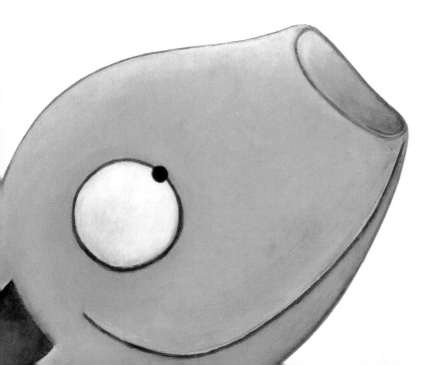

De wijde wereld valt Big tegen.
Hij had van Schaap, Kikker, Koe en Vlieg
een mooier antwoord verwacht.
Hij wordt er een beetje droevig van.

Maar Big geeft het niet op, hij vraagt verder.

'Woef. Ik vind jouw vochtige snoet zalig', blaft Hond.

'Maar kun je kwispelen?'

'Kwak. Ik vind jouw modderige geplons super', schettert Eend.

'Maar leg je eieren?'

'Piep. Ik vind jouw dikke buikje om op te eten', knarst Rat.

'Maar kun je anderen laten schrikken?'

Misschien moet Big beter zijn best
doen. Maar hoe dan?

Nog rozer?

Nog dikker?

Het lukt hem niet. Hij wordt er alleen
maar droeviger van. Er moet toch wel
iemand zijn die…

Een dubbele krul
in z'n staart?

'Oink, ik ga naar Boer', zegt Big.
'Dat zou ik niet doen', zeggen de andere dieren.
Maar Big drukt zijn snuit al tegen het raam.
Boer zit aan tafel.
'Vind je me om…' Maar plots zwijgt Big.
Hij ziet Boer hutspot eten. Hutspot met een
varkenshammetje.
'Lekker, lekker', smakt Boer en hij prikt een
mals stukje ham op z'n vork.

Big ziet de ham in het keelgat van Boer verdwijnen. Hij is nog te klein om te begrijpen wat hij ziet. Toch krijgt hij het ijzig koud. Big wil z'n mama, nu meteen. Hij wacht niet op het antwoord van Boer en haast zich naar de stal.

'Oink, waar ben jij geweest?' vraagt zijn mama.
'Oink, in de wijde wereld', antwoordt Big klein.
'Wat scheelt er?'
'Boer, hij zat aan tafel en...'
'Liefje toch, dat zijn zorgen voor later. Kom dicht bij me,
ik heb je de hele dag gemist:
jouw fraaie krulstaartje,
jouw vrolijke geoink,
jouw roze wangetjes,
jouw stinkie geurtje,
jouw vochtige snoet,
jouw modderige geplons,
jouw dikke buikje,
ja, zelfs jouw malse hammetjes.
Ik zou je wel kunnen opeten, maar…'
'Maar?'
'Dat ga ik niet doen,
ik geef je liever een dikke…'

Wil je meer weten over geen dieren eten?
Bezoek de site van EVA: www.vegetarisme.be
of stuur een mailtje: info@vegetarisme.be